THE NORTHERN LIGHTS

THE
NORTHERN LIGHTS

AND OTHER POEMS

BY VIOLET JACOB

LONDON
JOHN MURRAY, ALBEMARLE STREET, W.

First Edition, 1927

CONTENTS

CONTENTS

———————

All these poems, with the exception of
" Rohallion " and " The Rowan," have appeared
in *Country Life*, and I have to thank the Editor
for his permission to reproduce them.

V. J.

THE NORTHERN LIGHTS
AND OTHER POEMS

THE NORTHERN LICHTS

" MA daddy turns him tae the sky
    And cries on me tae see
  They shiftin' beams that dance oot-by
    And fleg the he'rt o' me."
" *Laddie, the North is a' a-lowe*
    Wi' fires o' siller green,
  The stars are dairk owre Windyknowe
    That were sae bricht the streen,[1]

" *The lift is fu' o' wings o' licht*
    Risin' an' deein' doon——"
" Rax ye yer airm and haud it ticht
    Aboot yer little loon,
  For oh ! the North's an eerie land
    And eerie voices blaw
  Frae whaur the ghaists o' deid men stand
    Wi' their feet amangst the snaw ;

[1] Last night.

B   I

THE NORTHERN LICHTS

And owre their heids the midnicht sun
    Hangs like a croon o' flame,
It's i' the North yon licht's begun
    An' I'm fear'd that it's the same !
Haud ye me ticht !   Oh, div ye ken
    Gin sic-like things can be
That's past the sicht o' muckle men
    And nane but bairns can see ? "

WHEN MYSIE GAED UP THE STAIR

NAE mair the dusty mill-hoose hums,
    The smiddy's toom and hame's the miller,
Abune the reek o' kirkton lums
    The young mune's like a threid o' siller;
But through the Bonnie Bush's door
    Ye'll hear a soond that sets ye thinkin'
And weel-kent steps across the floor
    And sangs an' freends an' glasses clinkin'——
The mune will sune be sinkin' and hae nae tales
      tae bear,
Sae haste ye awa wi' me, Jock, for Mysie's gaen
      up the stair !

We'll slip alang tae whaur ye ken
    Afore this cannie gloamin' passes,
And aince amang oor fellow men
    The deil may tak' baith wives and lasses ;

3

WHEN MYSIE GAED UP THE STAIR

The stars will drap ayont the hill
   An' Charlewayne turn tapsalteerie,
Fu' mony a lad hae got his fill
   And gane his gait or we be weary ;
An' tho' the morn be eerie, it's little for that we'll
     care,
Nae billies like you an' me, Jock, since Mysie gaed
     up the stair !

And when we hear the crawin' cock
   And a' the eastern airt is clearin',
Ye'll no desairt a neebour, Jock,
   An' syne ye'll tak' a haund at steerin' ;
We'll dae oor best tae breist the brae
   Afore yon fleerin' [1] sun has keekit
Tae watch us tak' oor hameward way
   And maybe miss it when we seek it.
And though ma door be steekit, I ken that ye'll
     land me there—
But haste ye awa an' flee, Jock, when Mysie comes
     doon the stair !

[1] Jeering.

4

THE NEEP-FIELDS BY THE SEA

Ye'd wonder foo the seasons rin
    This side o' Tweed an' Tyne ;
The hairst's awa ; October month
    Cam' in a whilie syne,
But the stooks are oot in Scotland yet,
    There's green upon the tree,
An' oh ! what grand's the smell ye'll get
    Frae the neep-fields by the sea !

The lang lift lies abune the warld,
    On ilka windless day
The ships creep doon the ocean line,
    Sma' on the band o' grey ;
And the lang sigh heaved upon the sand
    Comes pechin' [1] up tae me,
And speils the cliffs tae whaur ye stand
    I' the neep-fields by the sea.

[1] Panting.

THE NEEP-FIELDS BY THE SEA

Oh, time's aye slow, tho' time gangs fast
    When siller's a' tae mak',
An' deith, afore ma poke is fu',
    May grip me i' the back ;
But ye'll tak' ma banes an' ma Sawbith braws,
    Gin deith's owre smairt for me,
And set them up amang the shaws
    I' the lang rows plantit atween the wa's,
A tattie-dulie for fleggin' craws,
    I' the neep-fields by the sea.

JOHN MACFARLANE

THERE's a man I ca' tae mind
Had a wut ye couldna find
Tho' ye socht it frae the Hielands tae the Border ;
Ne'er a carle sae dour an' teuch
Heard his rant but Lord ! he leuch,
Tho' at times it wasna what ye'd ca' ' in order ! '
I' the smiddy standin' bare
Whaur his hammer rings nae mair
And there's nestin' for the sparry an' the starlin',
There the studdy [1] that ye'll see
Lyin' lost ahint a tree
Got its licks for mony a year frae John Macfarlane.

At the Stook o' Barley's door
Gin ye heard them skirl an' roar,
The cause there wasna muckle need o' speirin' ;
And the pollis let them be,
Kenning wha was on the spree
And that little guid they'd get frae interferin' ;

[1] Anvil.

JOHN MACFARLANE

And when John gaed daund'rin' hame
Tae the guidwife an' her blame,
Weel he kent he'd get a sortin' frae the carlin',
But the auld bumbees themsel's,
Fou amang the heather-bells,
Didna sing mair loud an' bauld than John
Macfarlane.

When he aince began tae crack
Wi' the Elders hangin' back
And whisperin' it was no for them tae listen,
Dod, they sune set doon their mugs
Wi' their haunds ahint their lugs,
Fear'd tae deith there was a word they micht be
missin' !
But aye there's ane or twa
That'll whinge [1] their time awa
An' get their pleesure easiest frae snarlin' ;
And the likes o' them wad say,
" Aye, be lauchin' while ye may,
For ye'll no can joke wi' Hornie, John Macfarlane ! "

When he let his hammer lie
And the Barley Stook was dry

[1] Whine.

JOHN MACFARLANE

(For they pit their shutters up when Johnnie
    flittit),
When the Guid Fowk an' the Wise
Heard him chap at Paradise,
Then I'm no sae sure he didna get admittit !
    And I think they let him ben,
    For they'd say " Wi' mortal men
We hae mind ye were their billie and their
    darlin'—
    Dinna keep yer bonnet on
    And pit doon the sneckie,[1] John,
For ye're just a bit exception, John Macfarlane ! "

[1] Latch.

THE ROWAN

WHEN the days were still as deith
   And ye couldna see the kye
Though ye'd maybe hear their breith
   I' the mist oot-by ;
When I'd mind the lang grey een
   O' the warlock by the hill
And sit fleggit like a wean
   Gin a whaup cried shrill ;
Tho' the he'rt wad dee in me
   At a fitstep on the floor,
There was aye the rowan tree
   Wi' its airm across the door.

But that is far, far past
   And a'thing's just the same,
There's whisper up the blast
   O' a dreid I daurna name ;

THE ROWAN

And the shilpit [1] sun is thin,
　　Like auld man deein' slow
And a shade comes creepin' in
　　When the fire is fa'in' low ;
Then I feel thae lang een set
　　Like a doom upon ma heid,
For the warlock's livin' yet—
　　But the rowan's deid !

[1] Weakly.

THE LICHT NICHTS

Ye've left the sun an' the can'lelicht an' the
    starlicht,
    The wuds baith green an' sere,
And yet I hear ye singin' doon the braes
    I' the licht nichts o' the year.

Ye were sae glad ; ye were aye sae like the lave-
    rock
    Wha's he'rt is i' the lift ;
Nae mair for you the young green leaves will dance
    Nor yet the auld anes drift.

What thocht had you o' the ill-faur'd dairk o'
    winter
    But the ingle-neuks o' hame ?
Love lit yer way an' played aboot yer feet,
    Year in, year oot, the same.

THE LICHT NICHTS

And noo, ma best, ma bonniest and ma dearest,
    I'll lay ma he'rt tae sleep
An' let the warld, that has nae soond for me,
    Its watch o' silence keep.

But whiles—and whiles—i' the can'lelicht an' the
       starlicht,
    I'll wauken it tae hear
The liltin' voice that's singin' doon the braes
    I' the licht nichts o' the year.

THE JAUD

" O WHAT are ye seein', ye auld wife,
    I' the bield o' the kirkyaird wa' ? "
" *I see a place whaur the grass is lang*
    Wi' the great black nettles grawn fierce an' strang
      And a stane that is clour'd in twa."

" What way div ye glower, ye auld wife,
    Sae lang on the whumml'd [1] stane ?
Ye hae nae kin that are sleepin' there,
    Yer three braw dochters are swak an' fair
      An ilk wi' a man o' her ain !

There's dule an' tears i' yer auld een
    Tho' little eneuch ye lack ;
Yer man is kindly, as weel ye ken,
    Yer fower bauld laddies are thrivin men
      And ilk wi' a fairm at his back.

[1] Overturned.

14

THE JAUD

Turn, turn yer face frae yon cauld lair [1]
    And back tae yer plenish'd hame ;
It's a jaud lies yont i' the nettle shaws
    Whaur niver a blink o' the sunlicht fa's
      On the mools that hae smoor'd her name."

" *Her hair was gowd like the gowd broom,*
    Her een like the stars abune,
Sae prood an' lichtsome an' fine was she
    Wi' her breist like the flowers o' the white rose tree
      When they're lyin' below the mune."

" Haud you yer havers, ye auld wife,
    Think shame o' the words ye speak,
      Tho' men lay fast in her beauty's grip
    She brocht the fleer tae the wumman's lip
      An' the reid tae the lassie's cheek.

Ye've lived in honour, ye auld wife,
    But happit in shame she lies,
And them that kent her will turn awa
    When the Last Day brak's tae the trumpet's
      ca'
      And the sauls o' the righteous rise."

[1] Grave.

15

THE JAUD

" Maybe.   But lave me tae bide my lane
   At the fit o' the freendless queyn ;
For oh ! wi' envy I'm like tae dee
   O' the warld she had that was no for me
      And the kingdom that ne'er was mine ! "

ROHALLION

Ma buits are at rest on the midden,
   I haena a plack [1];
Ma breeks are no dandy anes, forrit,
   And waur at the back;
On the road that comes oot o' the Hielands
   I see as I trayvel the airth
Frae the braes at the back o' Rohallion
   The reek abune Pairth.

There's a canny wee hoose wi' a gairden
   In a neuk o' Strathtay;
Ma mither is bakin' the bannocks,
   The weans are at play;
And at gloamin' ma feyther, the shepherd
   Looks doon for a blink o' the licht
When he gethers the yowes at the shieling
   Tae fauld them at nicht.

[1] A small coin.

ROHALLION

There isna a hoose that could haud me
    Frae here tae the sea
When a wind frae the braes o' Rohallion
    Comes creepin' tae me;
And niver a lowe frae the ingle
    Can draw like the trail an' the shine
O' the stars i' the loch o' Rohallion
    A fitstep o' mine.

There's snaw i' the wind, an' the weepies [1]
    Hang deid on the shaw
An' pale the leaves left on the rowan,
    I'm soothward awa;
But a voice like a wraith blaws ahint me
    And sings as I'm liftin' ma pack
      "I am waitin'—Rohallion, Rohallion—
      Ma lad, ye'll be back!"

[1] Ragweed.

THE DEIL

BESIDE the birks I met the Deil,
  A wheen o' words I niffered wi' him
And, clear and lang, the wuds amang
  The merle sang whaur ye couldna see him;
The pale spring licht was late when he
  Was whustling tae the Deil and me.

I didna think it was himsel',
  I thocht he had been auld an' crookit,
Sae thrawn an' grim in ilka limb
  Ye'd ken him by the way he lookit;
Wha'd think the Deil wad linger on
  Tae listen till a bird like yon?

They tell't me that the Deil was black
  And blacker nor the corbie's feather,
But, loopin' doon, a-lowe wi' noon,
  Nae burn broun frae the peat an' heather,

THE DEIL

Had e'er the shine ye wad hae seen
    Laid sleepin' i' the Deevil's een.

" The polestar kens ma bed," says he,
    " I hae the rovin' gled [1] for brither,
The hill crest is ma hoose o' rest,
    An' it's far west that I'd seek anither ;
Alang the edge o' simmer nicht
    The wildfire is ma ingle-licht."

The wuds were still, the merle was hame,
    The mist abune the strath was hangin',
Yet I could see him smile tae me
    When syne he turned him tae be gangin',
And ne'er a faur-ye-weel he spak'
    As he gaed frae me, lookin' back.

Ma feyther's hoose is puir an' cauld,
    The winter winds blaw lang and sairly,
The muircocks ca' and hoodie craw,
    It's nichtfa' sune, we're workin' airly ;
Oot i' the wuds, the lee lang year
    Nae treid amang the birks ye'll hear.

[1] Kite.

THE DEIL

Fu' mony a man has speir'd at me
    And thocht a wife he micht be findin',
But na—there's nane I could hae ta'en
    But just ane that I 'll aye be mindin';
Him that ma mither kens richt weel
    Had been nae ither nor the Deil !

ON A FLESHER

OVERTURNED IN A DITCH DURING A FROST

Come lads in kilts and lads in trews,
Come ben an' hear the weary news,
I doot oor denners we're tae lose,
　　The bacon and the flitch ;
For life's nae mair a pleasure O !
We've lost oor dearest treasure O !
For man ! they've cowp'd the flesher O
　　The flesher's i' the ditch !

Noo faur ye weel, ye pork an' beef,
Ye've vanished like the autumn leaf,
And a' oor feastin's come tae grief
　　We've got tae sic a pitch,
Oor teeth'll get their leisure O !
For whaur ye'll find the flesher O !
There's little meat tae measure O !
　　The flesher's i' the ditch !

ON A FLESHER

Nae mair oor denty bits we'll wale,[1]
We'll hae tae mak' oor broth o' kale,
And tho' tae save it canna fail
  It winna mak' us rich ;
We'll hae tae want the flesher O !
Until the weather's fresher O ![2]
Yon frozen lamb the flesher O !
  That's cowpit i' the ditch !

[1] Choose   [2] Until the thaw.

THE HELPMATE

I HAE nae gear, nae pot nor pan,
    Nae lauchin' lips hae I ;
Forbye yersel', there's ne'er a man
    Looks roond as I gang by.

An' a' folk kens nae time I've gie'd
    Tae daft strathspey an' reel,
Nor idle sang nor ploy, for dreid
    O' pleasurin' the deil.

Wi' muckle care ma mither bred
    Her bairn in wisdom's way ;
On Tyesday first, when we are wed,
    A wiselike wife ye'll hae.

The best ye'll get baith but an' ben,
    Sae mild an' douce I'll be ;
Yer hame'll be yer haven when
    Ye're married upon me.

24

THE HELPMATE

Ye'll find the kettle on the fire,
    The hoose pit a' tae richts,
An' yer heid i' the troch at the back o' the byre
    When ye come back fou o' nichts.

STEENHIVE

Steenhive's an awfae place
  Wi' the sea at its chin
And the cauld faem on its blind bree
  When the gales blaw in.

Steenhive is stane deif
  Wi' the waves an' the years ;
Een weit wi' scuds o' rain
  But owre haird for tears.

An' Steenhive's waur nor that,
  God gar it droon !
For its curst wa's stand yet
  Tho' ma ship's gane doon.

THE GUIDWIFE SPEAKS

GUDEMAN, ye sit aside the lum
    Sookin' yer pipe, yer doag at heel,
And gin the Lord should strike ye dumb
    Wha'd be the waur, ye soor auld deil?
And wha wad ken the dandy lad
    That, a' the preachin', socht ma ee,
When twa poond ten was a' we had
    And ye was cried in kirk wi' me?

Sae soople an' sae licht o' fit,
    The smairtest carles their pranks micht try
They got nae profit oot o' it—
    Nane thocht o' them gin ye was by!
They'd step, o' Sawbiths, tae the bell,
    Their gravats braw wi' spots an' stripes,
But there was nane forbye yersel'
    Could dance curcuddoch tae the pipes.

27

THE GUIDWIFE SPEAKS

I'm risin' airly, workin' late ;
   The best o' bannocks tae yer tea
Gang doon yer craig [1] like leaves in spate
   And ne'er a word o' thanks tae me !
And here, oot-by, the teuchats greet,
   Dumb is the hoose through a' the day,
Ye'll maybe speak tae curse yer meat
   Or dunt yer pipe agin' yer tae.

An' yet, an' yet—I dreid tae see
   The ingle standin' toom.   Oh, then
Youth's last left licht wad gang wi' ye . . .
   What wad I dae ?   I dinna ken.

[1] Throat.

THE LAST ANE

I GAED me doon the heid o' the wynd,
   Oot-by, below the stair,
But there was nane o' the fowk I'd kent
   Tae crack wi', there.

I set my face tae the bield o' the dock
   Whaur the brigs wad wait the tide ;
There was niver a man that had sailed wi' me
   At the waterside.

I took the road to the toon-hoose wa'
   An' the seat whaur the auld men sit ;
The broun leaves skailed frae the kirkyaird trees
   Across ma fit.

I turned me doon the path by the kirk
   Wi' the stanes set close at hand,
Whaur the freends that liena their fill at sea
   Are laid on land.

THE LAST ANE

The yett was wide but the kirkyaird bars
  Had gotten their toonsfowk fast,
And the auld stanes there for the man tae see
  That's left the last.

·   ·   ·   ·   ·

There was Ane in yonder.   Oh, straicht an' fine
  He stude by the cowpit thrang,
And my sair he'rt loup'd as He looked on me,
  For I'd kent him lang !

DONALD MACLANE

THE ling for bed and the loan for bield
  And the maist o' the winter through
The wild wind sabbin' owre muir an' field,
There's lang lang drifts on the braes I've speil'd,
  O Donald Maclane, wi' you !

Fu' mony trayvels in sun and rain
  Wi' a sang for the gait they treid ;
But the blythest gangers step aye their lane,
No twa thegither but ane by ane,
  When gangin's their daily breid.

A dancin' ee and a daffin' tongue,
  A voice i' the loanin' green,
Aye, fules think lichtly when fules are young
Tae pu' the nettle and no be stung,
  An' it's nocht but a fule I've been.

DONALD MACLANE

A crust for meat an' a curse for cheer,
    The weicht o' a heavy hand ;
A skirl o' pipes i' the mornin' clear,
The rose-hip reid wi' the fadin' year
    And the breith o' the frozen land.

There was nane tae see when I set ma face
    Till a road that has ne'er an end,
There's a door that's steekit and toom's the place
That minds ma ain o' a black disgrace
    And an ill that they canna mend.

Ma feyther's bent wi' his broken pride
    And the shame that he'll no forgie,
But the love o' mithers is deep an' wide
And there's maybe room for a thocht tae hide
    An' a prayer for the likes o' me.

Play up, play up noo, Donald Maclane,
    And awa till oor rovin' trade ;
For the wild pipes gie me a he'rt again
In a breist sae weary that whiles there's nane,
The wailin' pipes and the bairnies twain
    That are happit intill ma plaid.

THE CROSS-ROADS

" Wha bides in yon hoose we hae tae pass
    Yont—div ye see it ? "
" *There's nae hoose there.   It's a theek o' grass*
    And auld stanes wi' it."
" But O ! yon thing by the wa' that lurks !
    Is it soond or sicht ? "
" *It's just the breith o' the grazin' stirks*
    Or the white haar crawlin' amang the birks
      Wi' the fa' o' nicht."

" There's a windy keekin' amang the thorn
    And the branches thrawin——"
" *'Twill be tae seek when the morn's morn*
    Comes tae the dawin' ! "
" But man, foo that ?   For it's there the noo
    And I see it plain——"
" *Gin ye be sober, I doot I'm fou,*
    For I see nane."

F   33

THE CROSS-ROADS

" There's an auld wife's lee that I fain wad loss,
    Sae sair I fear it,
  O' an ill man's hoose whaur the twa roads cross
    And his lair that's near it ;
  Yet gin ye'll meet him by birk or broom
    Ye canna tell——"
" *It's nocht but havers.   The road is toom*
    And there's nane ye'll meet sic a nicht o' gloom
        But just mysel'.

" But bide a wee till we kneel and pray,
    For I'd fain be prayin',"
" *Stand up, stand up—for I daurna say*
    The words ye're sayin' !
  But rise and gang tae the kirkyaird heid
    And plead yer best
  Whaur they wadna bury the ootcast deid
  For a sad saul spent wi' the weird it's dree'd,
        And I'll maybe rest ! "

THE BOLD WOOER

O EPPIE, when wi' you I meet
  Ye're that set up I'd like tae greet,
The gollach [1] cra'lin' at yer feet
  Gets mair respec' nor me O !
Up gangs yer neb ; awa ye sail
  As tho' the pest was on the gale,
  Or a' the coorse were bilin' kale
    Tae gar the denty flee O !

Guid workin' wives frae near an' far
  They ken the madam that ye are,
And " Maircy, laddie, dinna daur ! "
  Is what they cry tae me O !
" Yon besom's worth, on mairket days,
  Fu' three poond ten, frae heid tae taes,
  And sic a waste o' Sawbith claes
    We canna thole tae see O ! "

[1] Beetle.

THE BOLD WOOER

But Eppie, tho' it's gospel true,
 Their clash has tell't me naethin' new,
An' flegg'd by them or yet by you
 I dinna mean tae be O !
An' tho' I ken yer cantrips weel,
 A pettit wretch and owre genteel,
 I'll up an' tell ye what I feel
 And hae ye yet, maybe O !

GEORDIE'S LAMENT

OH, I was fou at Martinmas
  And fou at Halloween
And fouer yet at Hogmanay
  Than iver I hae been ;

For Hogmanay's a time o' dule
  Altho' yer he'rt be licht,
And whiles ye canna mind at morn
  O' what ye did at nicht.

Ma feyther's wud,[1] ma mither's daft ;
  It's no for that I care,
But the bonnie lass I've lo'ed sae long
  Will tryst wi' me nae mair !

Oft hae we seen the Hunter's mune
  Rise reid ahint the stacks,

[1] Wild.

37

GEORDIE'S LAMENT

An' the nakkit tree-taps sweep the sky
   Wi' the cauld stars at their backs ;

And whiles, frae oot the sleepin' hoose
   She's stown when nane could see
Tae daunder doon the misty fields
   I' the simmer nichts wi' me.

Oh Bell—ma ain, ma denty Bell,
   Ye winna turn yer heid,
And sic a clour ye've gie'n ma he'rt
   That I can feel it bleed !

What'll I dae when spring is back
   Wi' voice o' birds again,
And ilka craw has got his jo
   But me that's wantin' ane ?

Oh Bell ! had I, come Hogmanay,
   A bonnie wife at hame,
I'd no be sweir tae steik ma door
   When aince the evenin' came.

GEORDIE'S LAMENT

For a' the warld micht drink its best
    Tae gar the Auld Year flit,
And Hogmanay micht wauk the deid
    An' I wadna stir for it !

TAE SOME LASSES

LASSES, tho' ye kilt yer claes
    Mair nor a yaird abune yer taes,
I doot that Fashion's daftlike ways
    May play the deevil wi' ye ;
The revelation o' yer legs
Has gie'n us lads some unco flegs ;
We drink amazement tae the dregs
    Ilk time we see ye.

There's sichts for which ye'll get nae thanks,
    For some o' ye hae gotten shanks
Like rabins hoppin' doon the banks
    Ahint the gaird'ners' barrows,
And some are mair like pillars, those
Ye'll see uphaudin' porticos
(The U.F. Kirk, John Street, Montrose,
    Has got the marrows).

40

TAE SOME LASSES

Maybe in patriot's array
   The Hieland kilt ye'd fain display,
And syne ye've ta'en its measure tae
   The vera letter ;
But tho' we'll no the loan refuse
It's fine we'd like tae hear the news
Ye've left the kilt an' ta'en the trews,
   Ye'd set them better !

MISTRESS MACKAY

SHE wadna bide oot an' she wadna bide in,
  The tea was infused but she wadna begin,
There were jeelies an' bannocks tae welcome her
    doon
  And a bottle o' whuskey they'd bocht i' the
    toon
And the hale o' the neebours hurrayin' like ane
  When Mistress Mackay got a flicht in a plane.

She socht the black silk she'd pit by i' the press,
  The bonnet wi' jet an' wi' feathers—nae less !
Says she, " They'd think shame o' me gin I was
    seen
  Tae be ridin' the skies in ma auld bombazine,"
And a grand umberella tae keep aff the rain
  Went fleein' wi' Mistress Mackay in a plane.

MISTRESS MACKAY

Sic a crood at the causey as niver ye saw,
   She was oot at the doorstep tae bow tae them a',
" I'm pleased tae accep' yer attentions," says
      she,
" Noo, presairvit frae deith, I'll sit doon tae ma
      tea,
      And the morn, gin it's fine, get ma photygraph
      ta'en
      I' the bonnet I wore on ma flicht i' the plane."

There wasna a windy that looked on the street
   But had gotten her caird wi' inscription com-
      plete,
And ne'er a wee loon saw a hame-comin' craw
   Grow big as it cam' whaur it aince had been
      sma'
But he ran, cryin' oot like the skreich o' a train
   " Here's Mistress Mackay i' the lift in a plane ! "

And noo that she's got an illustrious name
   And wi' Cæsar an' Nelson has moontit tae fame
Ye'll read i' the papers, ' See Mistress Mackay
   On ' Balkan Finance ' or ' Will Scotland gang
      dry ? '

MISTRESS MACKAY

' Should Widowers smoke ? ' or ' Is Shakespeare
    profane ? '
  She can answer them a' since her flicht i' the
    plane !

Speir you at the neebours.   There's nocht they
    can dae
  But Mistress Mackay has got somethin' tae say,
Nae coortin' a lassie, nae dance on the green,
  Nae buyin' a coo nor baptizin' a wean,
For the vera last hour that their sauls were their
    ain
  Was when Mistress Mackay steppit doon frae
    the plane !

Printed in Great Britain by
Hazell, Watson & Viney, Ld., London and Aylesbury.